जिन्दगी
एक सफर यादों का

एक किताब जिसे एक दैवीय विचार ने शुरू किया
और कुछ भावनाओं द्वारा लिखा गया।

— — — — — — — — — — — — —

**A Short Book Inspired by a thought
and written by some Feelings.**

जिन्दगी
एक सफर यादों का

सुरेश जिन्दल

GenNext Publication

जिन्दगी– एक सफर यादों का

ISBN: 978-93-8022-331-5

भारत सन् 2018 में प्रकाशित
जेन्नेकस्ट पब्लिकेशन
5, अंसारी रोड, दरियागंज,
नई दिल्ली-110002
Phone: 9811692060
ई-मेल: gennextpublication@hotmail.com

मुद्रित: जी. प्रिंट प्रोसेस, दिल्ली

समर्पण

यह पुस्तक स्वर्गीय श्रीमती राज रानी
को समर्पित है जो हमेशा की तरह
आज भी हमारी शक्ति बन कर
हमारे बीच उपस्थित हैं।

सभी परिवार के सदस्य
एवम् रिश्तेदार

यह पुस्तक मेरे पिता स्वर्गीय श्री अमरनाथ जिन्दल
व माता स्वर्गीय श्रीमती कौशल्या देवी के
आर्शीवाद से लिखी गई है।

लेखक
सुरेश जिन्दल

दो शब्द

मेरे लिए इस किताब का लिखा जाना कुछ वैसा ही था.... जैसे कोई बच्चा पहली बार कुछ लिखने की कोशिश करता है। असल में इसे एक भावना से प्रभावित होकर लिखा गया है। बिना कुछ ज्यादा सोचे समझे। इसलिए कुछ गलतियों की सम्भावना से इन्कार नहीं किया जा सकता। हालांकि मेरे पास कुछ अनुभवी सलाह के विकल्प मौजूद थे। लेकिन मैं चाहता था कि मेरे विचार और मन की भावनाओं ने जैसा भी शब्दों का रूप लिया है वे वैसे ही पाठकों तक पहुंचें। इसलिए मुझे आशा है कि पाठक इस पुस्तक में मौजूद किसी भी तरह की शब्दों की गलती को नजरअन्दाज करते हुए इसमें मौजूद भाव को ही देखेंगे।

सुरेश

मो0 9466049643

इस पुस्तक को दो भागों में बांटा गया है।

पहला– हमारे जीवन में यादों का प्रभाव।

दूसरा– हमारे जीवन पर हमारी सकारात्मक विचारधारा का प्रभाव।

पहला भाग

हमारे जीवन में यादों का प्रभाव

हमारी यादें....

गुजरे समय के हमारे अनुभव या फिर हमारे जीवन से जुड़ी दूसरी महत्वपूर्ण बातें....जो हमारी स्मृति में मौजूद होती है....वही हमारी यादें कहलाती है।

ये हमारे जीवन का एक अहम् हिस्सा होती हैं। ये हर पल हमारे जीवन से जुड़ी रहती हैं। फिर चाहे वो हमारे अपनों से जुड़ी भावनाओं की हों या हमारे कामकाज़ की।

यादें हमारी जिन्दगी में किस तरह से महत्व रखती हैं? इसे थोड़ा हम इस तरह से समझ सकते हैं।

जैसे– अगर हम पंहली बार किसी अजनबी शहर में जाते हैं... उस समय उस शहर के बारे में या वहां के किसी रास्ते का हमें कुछ पता नही होता। इसके लिए हमें किसी दूसरे से पूछना पड़ता है। लेकिन अगर हमें उसी शहर में किसी काम से कई बार इधर–उधर जाना पड़े.... फिर कई रास्तों की व और दूसरी जानकारियां अपने आप

हमारी स्मृति में जमा होती रहती हैं। उसके बाद दोबारा हमें किसी से पूछने की जरूरत नही पड़ती। हमारी यादें खुद हमारा मार्गदर्शन करती हैं और फिर ये जिन्दगी भर हमारे साथ रहती हैं।

इसी तरह रात को सोते हुए हमें अपनी दुनिया के बारे कुछ पता नहीं होता। लेकिन सुबह उठते ही हम फिर इससे जुड़ जाते हैं। वो हमारी यादें ही होती हैं जो दोबारा हमें अपनी दुनिया से मिलाती हैं।

एक और उदाहरण से हम इस बात को कुछ ऐसे स्पष्ट कर सकते हैं....

जैसे कि हम सब जानते हैं कि जन्म के समय बच्चे को किसी भी बात की जानकारी नही होती। लेकिन तीन–चार महीने के बाद उसे कई बातों का पता चल जाता है....जैसे अपने माता–पिता को पहचानना और अपने आसपास रहने वाले अन्य लोगों को देखकर कुछ हाव–भाव दिखाना। फिर उम्र बढ़ने के साथ–साथ वह दूसरी बहुत सी बातें सीखता जाता है। यह सब कुछ उसकी स्मृति में जमा होता रहता है। फिर चाहे ये उसकी पढ़ाई की जानकारी हो या फिर अपने परिवार और दूसरे जान–पहचान के लोगों से जुड़ी भावनाएं।

यही होती हैं हमारे यादें.... जो हम सब के जहन में हर समय मौजूद रहती हैं।

अगर हम थोड़ा सा भी गहराई से सोचें तो हमें यह साफ नज़र आ जाएगा कि ये हमारी हर कल्पना और हमारे हर विचार को भी प्रभावित करती हैं।

हमारे अपनों से जुड़ी भावनाएँ

इसी तरह हमारे जीवन में बहुत सी यादें हमारे अपनों से जुड़ी भावनाओं की भी होती हैं। ये हमें उस वक्त महसूस होती हैं जब हमारे अपने किसी कारणवश कुछ समय के लिए हमसे दूर चले जाएं। जैसे माता–पिता का बेटा जब्र पढ़ने या कोई नौकरी करने उनसे दूर चला जाता है.... तब अपने प्यारे बेटे से जुड़ी भावनाएं उन्हें याद आती हैं। इसी तरह बेटी की अपने मायके से जुड़ी यादों की बातें तो हम सब अच्छी तरह जानते हैं। इस तरह हम समझ सकते हैं कि हमारे अपनों से जुड़ी हमारी भावनाओं की यादें हमारे जीवन का आईना हैं। वहां हर समय हमें उन भावनाओं की तस्वीर नज़र आएगी।

कुछ ऐसा है हमारी यादों का अद्‌भुत संसार....

इस तरह हम सबकी स्मृति में गुजरे समय की बहुत सी यादों का समावेश रहता है।

जिन्दगी.... एक सफर यादों का

वर्तमान में अपने काम करते हुए हमें अपनी यादों के बारे में कुछ विशेष महसूस नही होता। मेरे साथ भी कुछ ऐसा ही था। अपने हर रोज़ के कार्यो में व्यस्त रहते हुए मुझे कभी ऐसा नही लगा कि मेरी यादें मेरे जीवन में कोई खास महत्व रखती हैं।

लेकिन कुछ समय पहले मैने इनकी असीम शक्ति को महसूस किया। अपनों से जुड़ी यादों की बेशुमार ताकत ने मेरे जीवन को पूर्णतः बदल डाला। तब मैने जाना कि कभी–कभी हमारी यादें हमारे लिए उतनी ही महत्वपूर्ण बन जाती हैं जितनी कि हमारी सांसें....।

ये कैसे हमारे जीवन के लिए इतनी महत्वपूर्ण बन जाती हैं ?

और ये कैसे हमारे जीवन को बदल सकती हैं और कब मुझे लगा कि हमारी जिन्दगी एक ऐसा सफर है जो हमारी यादों से पूरी तरह से जुड़ा हुआ हैं ?

इस सब सवालों के जवाब अगले पृष्ठों पर मौजूद हैं।

पहले संक्षेप में.... मेरे जीवन से जुड़ी कुछ यादें....

हर इन्सान की तरह मेरे बचपन की कुछ खूबसूरत यादें मेरे जहन में भी मौजूद हैं। जैसा कि हम सब के साथ होता है.... वैसे ही मेरा भी बचपन अपने भाई–बहनों के साथ हंसते–खेलते हुए बीता। माता–पिता के प्यार की छांव में कब वो दस–बारह साल बीत गए.... पता ही नही चला। सचमुच बचपन बहुत सुन्दर होता है.... दुनियादारी की बातों से बेखबर.... हर पल उर्जा व मस्ती से भरा हुआ। भूख लगी तो जो कुछ मां ने दिया.... खा लिया.... प्यास लगी तो पानी पी लिया.... और जब खेलते–खेलते थक गए तो माता पिता के आगोश में जा कर सो गए। जहां सिर्फ सुन्दर सपने होते हैं।

जिन्दगी का यह खूबसूरत हिस्सा हर इन्सान जीता है।

फिर वह थोड़ा बड़ा होता है.... पढना लिखना सीखता है और फिर लगभग पंद्रह साल की उम्र तक अपनी स्कूल की पढ़ाई पूरी कर लेता है।

जैसा कि मेरे साथ हुआ.... फिर कालेज की पढ़ाई के लिए मैं एक बड़े शहर में गया।

ऐसा उस वक्त मेरी उम्र के बहुत से लड़कों के साथ होता था। जहां हम अपनी स्नातक तक की पढ़ाई पूरी करते थे। इसके इलावा कई विद्यार्थी कुछ अन्य कोर्स भी करते थे।

कालेज़ के बाद की यादें

कालेज की पढ़ाई पूरी करने के बाद....लगभग सभी लड़कों को कोई नौकरी या फिर कोई दूसरा काम ढूढंना पड़ता था। ताकि कुछ पैसे कमा कर अपने जीवन के सफर को नई दिशा दी जा सके।

जिस समय की मैं बात कर रहा हूँ.... उस समय अधिकतर कुछ ऐसा ही होता था।

अपनी स्नातक की पढाई पूरी करने के बाद मुझे एक बैंक में नौकरी मिल गई। मुझे एक अच्छी नौकरी मिल जाने से मेरे माता–पिता व भाई–बहन बहुत खुश थे। अब मेरे जीवन को एक अच्छी दिशा मिल गई थी। मेरी दिनचर्या में एक निश्चित काम होने लगा था। सुबह ऑफिस जाना और शाम को घर आकर परिवार वालों के साथ समय बिताना। मेरे अपने दोस्तों के साथ भी मौज–मस्ती में बहुत अच्छा वक्त गुजरता था। आज जब मैं अपनी यादों द्वारा उन गुजरे लम्हों की बातें दोहरा रहा हूं.... मैं इन्सान में मौजूद इनकी अनोखी ताकत को भी महसूस कर रहा हूं। मैं बिल्कुल स्पष्ट देख रहा हूं कि किस तरह से हमारी यादें हमें बीते पलों का अहसास करवा सकती हैं। इस पल इन्होंने मेरे वर्तमान को बिल्कुल बदल दिया है।

कुछ ऐसा होता है यादों का प्रभाव....।

हर इन्सान की जिन्दगी का नया मोड़.... उसकी शादी होना

मेरी नौकरी लग जाने के लगभग डेढ़ साल बाद मेरी शादी हो गई।

मेरे जीवन का यह एक खूबसूरत मोड़ था। मेरे सुख–दुःख में मेरी पत्नी हर वक्त मेरे साथ खड़ी होती और मेरे जीवन में आने वाली हर समस्या के समाधान के लिए अच्छे सुझाव देती। वह सुलझे हुए दिमाग की सफल गृहिणी थी। वह बहुत संवेदनशील थी और परिवार के हर सदस्य का बहुत अच्छे तरीके से ध्यान रखती। मेरे माता–पिता का उसके व्यवहार से पूरी तरह से खुश रहना उसके अच्छे स्वभाव का प्रमाण था।

समय अपनी रफ्तार से चल रहा था। दिन महीनों में और महीने सालों में बदलते गए। भगवान की कृपा से हमें चार पुत्र रत्न प्राप्त हुए। जिनके पालन–पोषण में हमारा वक्त हंसी खुशी बीतने लगा। मैं और मेरी पत्नी बच्चों की पढ़ाई लिखाई और उनके भविष्य को बेहतर बनाने के लिए विचार विमर्श करते रहते। हमारे परिवार में मौजूद आपसी सद्भाव व समपर्ण की भावना ने हमारी जिन्दगी को काफी खूबसूरत बना रखा था।

मेरी एक जिज्ञासा....
जो मेरे जीवन का अहम् हिस्सा रही....

जीवन के इस सुन्दर पड़ाव से गुजरते हुए मेरे अन्दर कुछ और सवाल भी थे। जिनके समाधान के लिए मैं अक्सर कोशिश करता रहता था। यह सवाल होश संभालते ही धीरे–धीरे मेरे जहन में उभरने लगे थे। ये तो जैसे मेरे जीवन का हिस्सा बन चुके थे। ये सवाल कुछ ऐसे थे....कि ईश्वर या भगवान को कैसे जाना सकता है ?

जिन्दगी में हमें महसूस होने वाले सुख–दुःख का क्या मतलब है और परेशानियों से कैसे छुटकारा पाया जा सकता है ?

जीवन व समाज से जुड़े और भी कई सवाल थे.... जिनके जवाब की तलाश मुझे रहती थी।

बेशक ऐसे सवाल हम सब के विचारों में होते हैं। लेकिन मेरे साथ ये कुछ इस तरह से जुड़े हुए थे कि कभी–कभी मुझे बेचैन कर देते थे।

इसलिए जब भी मुझे वक्त मिलता....मै इनके जवाब तलाश करने की कोशिश करता रहता था। इसी कारण मैने धर्म व आध्यात्म पर लिखी बहुत सी पुस्तकों को पढ़ा। ताकि मेरी जिज्ञासा शान्त हो सके। इसके अलावा जीवन के प्रति गहरी व ऊंची समझ रखने वाले बुद्धिजीवियों के काफी लेखों का मैंने अध्ययन किया। ऐसे साहित्य को पढ़ना मेरी रूचि का हिस्सा बन चुका था। इस तरह मेरा काफी समय इन सवालों की खोज में भी बीतने लगा।

एक साईंस ग्रेजूएट होने के कारण सभी उच्च कोटि के विचारों को समझने का मेरा अपना अलग नजरिया था। मैं अपने आत्म–विशलेषण द्वारा उनमें से अपने सवालों के जवाब ढूंढने की कोशिश करता रहता। इस तरह कुछ सालों के बाद मेरी मेहनत रंग लाई। मुझे मेरे बहुत से सवालों के जवाब मिल गए थे। जिसके कारण मेरे विचारों में काफी परिवर्तन आ चुका था। मेरे सोचने समझने के तरीके में अब बहुत सकारात्मक भाव शामिल हो गए थे। जीवन का हर पहलू मुझे खूबसूरत लगने लगा था।

मेरे लिए यह बहुत महत्वूपर्ण बात थी। पहले जहां उन सवालों की तलाश की बेचैनी थी। वहां अब सुकून और संतुष्टि के भाव भर गए थे। मेरे जीवन की यह बड़ी कामयाबी थी। बाहर से मैं अब भी पहले जैसा इन्सान था। लेकिन जो कुछ मैं पा चुका था उसे सिर्फ मैं ही जानता था। वह जो कुछ भी था मेरे लिए अद्‌भुत व संतोषजनक था।

एक विचारधारा

यह एक ऐसी विचाराधारा थी....जिसमें मेरे मन में उठने वाले हर सवाल का जवाब मौजूद था.... और वो आज भी है। योगियों, सन्यासियों व अन्य महान गुरूओं के लिखे साहित्य का मर्म मैं समझने लगा था। मेरे अन्दर एक खुशी और विचारों में ठहराव का समावेश हो चुका था। मेरा आत्मविश्वास भी बहुत बढ़ गया था। दुनियादारी की बातों में उलझ कर अगर मैं कभी विचलित होता तो मेरी वह विचारधारा....जो मेरे अन्दर समा चुकी थी....मुझे उस उलझन से खींच कर बाहर कर देती थी। वह विचारधारा तो जैसे जिन्दगी की हर समस्या की जादुई चाबी थी। जिससे मैं अपनी मुश्किलों का हर बन्द ताला खोल सकता था। इसे ही मैंने अपनी सकारात्मक विचाराधारा माना है। यानि ऐसे विचार जो हमारे जीवन में आने वाली समस्याओं का सही समाधान खोज सकें। इसे हम अपना पाजिटिव विजन भी कह सकते हैं। ऐसा विजन जो हमें अच्छे विचारों की रोशनी देता हुआ हमारे जीवन की राहें आसान करता रहे।

कुछ ऐसी ही विचाराधारा को मैं अपने अन्दर महसूस करने लगा था। मेरे जीवन का यह खूबसूरत पड़ाव था। जहां मेरी पत्नी पूजा–पाठ व अन्य धार्मिक कार्यो को करती....वहीं मेरा वक्त जीवन के और दूसरे गूढ़ रहस्यों को जानने में गुजरता था।

कुछ यादें ऐसी भी
एक आदत....लिखने की

मुझे कभी–कभी थोड़ा बहुत लिखने की आदत भी थी। जब मेरा दिल करता अपने जीवन से जुड़ी कुछ बातों को मैं कागज़ पर लिख देता था। मेरी पत्नी को जब भी समय मिलता वह मेरे पन्नों को पढ़ लेती थी। मेरे शब्दों की वह एकमात्र पाठक थी। वह कभी मेरे शब्दों की सराहना भी करती। तो मुझे खुशी होती थी। वह इसे अच्छे स्तर पर लिखने का भी सुझाव देती। जैसे किसी अखबार में....या किसी और तरीके से। लेकिन मेरे लिए तो यह सब ऐसा ही था जैसे बच्चों का अपने खिलौनों से खेलना। थोड़ी देर खेले और फिर भूल गए। मुझे भी जब थोड़ी बेचैनी होती....कुछ लिखता.... कुछ राहत मिलती....फिर अपने दूसरे काम में लग जाता।

अपनी इस आदत के बारे में कभी मैने यूं लिखा था....

लिखना मेरा शौक नहीं....,
बस, एक आदत सी है,
सच कहूं अगर, तो यह,
चाय पीने जैसी तलब सी है।
लिख देता हूँ यूं ही,
दो शब्द कभी,
कि थोड़ी खुशी मिलती है,
उदास से मन में,
जैसे किसी खुशबू की,
नई कली खिलती है।।

इस तरह लिखना.... मेरे लिए बक्त गुजारने का एक अच्छा साधन था। लिखने से मुझे एक अजीब सा सुकून व राहत मिलती थी। इसलिए मैं कह सकता हूँ मेरे लिए मेरी कलम एक अच्छे दोस्त की तरह थी।

मेरे शब्दो और विचारों में एक गहरा सम्बन्ध था। ऐसा होना स्वाभाविक भी था। अक्सर हम वही कुछ कहते हैं जो जिन्दगी हमें सिखाती है.... या हमारी कल्पना में होता है।

मेरे लिए लिखना जैसे खुद से बात करने जैसा था....

कुछ ऐसे....

कुछ विचार मिलते हैं,
जिन्दगी से हमें,
कुछ कल्पना से,
तो कुछ ख्वाब से,
लिख कर यूं ही,
दो शब्द कभी,
बात कर लेता हूं,
आपने आप से।।

बस ऐसे ही जब दिल करता मैं कुछ ना कुछ लिख देता था....

मन के अहसास कब शब्द बन गए,
यह पता ना चला,
बस पीछे–पीछे शब्दों के,
मैं लिखता चला गया।

मेरे लिए लिखना अपने विचारों को किसी से कह कर खुश होने जैसे था।

जैसे भी बात मन में होती उसे लिख देता था। जैसे अगर जिन्दगी के अलग–अलग पहलू देखता तो कुछ ऐसे लिख देता था....

जिन्दगी

कभी एक ख्याल,
तो कभी एक ख्वाब है जिन्दगी,
कभी लगती है उलझी पहेली सी,
तो कभी सीधा सा जवाब है जिन्दगी,
कभी लगे वीरान पतझड़–सी,
तो कभी खिला हुआ गुलाब है जिन्दगी,
ना समझ आए ये किसी के,
कुछ ऐसी बेमिशाल है जिन्दगी,
कोई नही सवाल–जबाव इसका,
बस, खुद में ही लाजवाब है जिन्दगी।।

जीवन में मौजूद इच्छाओं और खुशियों को देखता तो उन्हें यूं लिख देता....

चाहतें तभी होती हैं दिल में,
हाथों में अगर,
जिन्दगी की लकीर होती है।
जो इच्छा ना पूरी हो कोई,
तब थोड़ी बेचैनी करीब होती है।
चाहतों और जिन्दगी का होना,
सुबूत है इस बात का,
कि यहीं पर,
खुशी भी जरूर नसीब होती है।।

इस तरह....मेरे लिए लिखना मेरे खाली समय का अच्छा साथी बन गया। लिखने के बाद इन पन्नों को मैं अपनी एक अलमारी में रख देता था। फिर शायद ही कभी ऐसा होता कि मैं दोबारा उन पन्नों को देखने की कोशिश करता। क्योंकि मुझे हमेशा कुछ और नया लिखने की इच्छा रहती।

एक ना भूलने वाली याद
स्वैच्छिक सेवानिवृति....
मेरे जीवन का एक महत्वपूर्ण मोड़....

सन् 2000 में हमारे बैंक में स्वैच्छिक सेवानिवृति यानि वी. आर. एस. की योजना का प्रस्ताव आया। जीवन के प्रति मेरे खोजी स्वभाव ने इस प्रस्ताव को स्वीकार करने के लिए जैसे मुझे मानसिक रूप से तैयार कर दिया। मैंने बिना परिवार वालों की सलाह लिए सेवानिवृति की अर्जी दे दी। मुझे लग रहा था कि नौकरी छोड़ने के बाद जीवन को और अधिक गहनता से समझने के लिए मुझे काफी वक्त मिल जाएगा। इसी लालसा ने मुझे रिटायरमैन्ट लेने के मेरे विचार को मजबूती दी। कुछ दिनों बाद जब घर वालों को पता चला तो सभी मेरे इस फैसले से नाराज़ थे। मेरी पत्नी समय से पहले एक अच्छी सरकारी नौकरी छोड़ने के मेरे विचार से बिल्कुल खुश न थी। मेरे नौकरी छोड़ने के बाद परिवार की आर्थिक स्थिति व बच्चों के भविष्य को लेकर वह काफी चिंतित थी। मुझे भी इस बात का अहसास था कि अपनी जगह उसके विचार बिल्कुल सही थें। कई बार मुझे लगता कि कहीं मेरा यह फैसला गलत तो नही ?

लेकिन जीवन के प्रति एक अलग पॉजिटिव दृष्टिकोण रखने वाली मेरी विचारधारा मेरे विश्वास को अन्दर से थामे हुए थी। सबसे पहले मैने अपनी पत्नी को रिटायरमैंन्ट से मिलने वाले पैसे और पैंशन के बारे में बता कर अपनी संतोषजनक आर्थिक स्थिति को स्पष्ट किया। कुछ अपने आध्यात्म से जुड़े विचारों के बारे में भी बताया।

अपनी दिल की बात को सही तरीके से उसे बताने के कारण वह कुछ दिनों में काफी हद तक आश्वस्त हो गई। जो मेरे लिए काफी था! क्योंकि उसकी नाराज़गी को लेकर मैं जिन्दगी में कुछ भी नया करने की सोच भी नही सकता था।

हमारी आन्तरिक सोच समझ का तालमेल इतना ज्यादा था कि हम बहुत कम शब्दों में एक दूसरे की बात को समझ लेते थे। शायद यही वह वजह थी कि मेरे रिटायरमैन्ट के फैसले पर कुछ ही महीनों में वह पूरी तरह सहमत हो गई।

इसके लगभग पांच सालों बाद सन् 2005 में मेरे बड़े बेटे ने एक नए बिजनैस को अच्छी तरह से शुरू कर लिया था। मुझे भी एक निश्चित रकम पैंशन के रूप में मिलती थी। इस तरह हमारी आर्थिक स्थिति काफी संतोषजनक थी।

जीवन का खूबसूरत पड़ाव

इस समय तक मेरी नौकरी छोड़ने की हर परेशानी या शिकायत मेरी पत्नी के मन से निकल चुकी थी। हमारी जिन्दगी का यह सफर बहुत ही खूबसूरत था। हम दोनों अपने बच्चों व परिवार के अन्य सदस्यों के साथ रहते हुए स्वयं को हर तरह से खुशनसीब समझ रहे थे। अपनी पत्नी व परिवार के साथ हंसते–खेलते जरूरी काम करना और कभी–कभी बच्चों के साथ कहीं घूमने जाना.... कुछ ऐसा था हमारी जिन्दगी का यह सुन्दर सफर। इस सुन्दर समय के अच्छे अनुभवों को भी मैं कभी–कभी शब्दों का रूप दे देता था।

मुझे किसी हिल स्टेशन पर जाकर बर्फ से ढके पहाड़ों को देखना हमेशा बहुत अच्छा लगता था। एक बार जून के महीने में अपने परिवार के साथ जब हम बद्रीनाथ की यात्रा पर गए तो उन अनुभवों को मैने एक जगह कुछ ऐसे लिखा था....

रात लगभग नौ बजे.... 29 जून 2015

हर इन्सान के मन में सृष्टि के खूबसूरत रंग देखने की इच्छा रहती है। मुझे भी अपने जीवन में कुदरत की सुन्दर रचनाओं को देखना हमेशा से बहुत पसन्द है। उनमें से एक है बर्फ की सफेद चादर ओढ़े ऊंची लम्बी विशाल पर्वत–श्रृंखलाएं। इन्होंने हर बार मुझे नए अनुभव दिए हैं।

ये विशाल पहाड़ सचमुच अद्‌भुत होते हैं। ये जैसे एक चुम्बक की तरह हमारे मन को अपनी ओर खींच लेते हैं.... और हमें एक अनजानी सी खुशी से भर देते हैं। दिल और दिमाग कुदरत के इस सौंदर्य के

आगे जैसे नतमस्तक हो जाते हैं। ये शीतल नज़ारे हमारे मन से दुनिया की सारी परेशानियां निकाल कर जैसे वहां सुकून और शान्ति के अहसास भर देते हैं। जब आँखें सृष्टि के इन नज़ारों को देखती हैं....तब इन पर्वतों का बड़प्पन और खामोश गहरी शान्ति.... धीरे–धीरे हमारे दिलो–दिमाग में प्रवेश करने लगती है। यह अनुभव सचमुच अनोखा सुख देने वाला होता है।

ये सुन्दर पर्वत अपनी मूक भाषा में जैसे हमें ये संदेश दे रहे हों....

बर्फ की सफेद चादर ओढ़े,
पर्वतों की ये ऊंची चोटियां,
जैसे हमें ये बात समझाती हैं,
जीवन के सफर में,
चलते–चलते,
कुछ मुश्किलें,
कभी आ जाती हैं।
पर ए बन्दे,
यह जीवन अद्भुत हैं,
इस अद्भुत विशाल,
सृष्टि की तरह,
थोड़ा तू भी इरादों को,
मजबूत कर ले,

मेरे इस विशाल दृढ़,

हृदय की तरफ।।

ऊँचें पहाड़ों की गहराईयों के बीच में बहती नदियां जैसे हमें हमेशा जीवन में आगे बढ़ने का संदेश दे रही हों। हमें सकारात्मक ऊर्जा से भर देने वाले ये अहसास सचमुच अवर्णनीय होते हैं। पर्वतों की ऊँचाइयां हमारे दृष्टिकोण को भी जैसे एक नई ऊँचाई दे रही हों। लम्बें–चौड़े खामोश व अटल खड़े इन पर्वतों को देखना एक ना भूलने वाला अनुभव है।

सुरेश....

अब तब संक्षेप में लिखी गई ये सभी बातें मेरे जीवन के सफर की यादें थी।

मेरे और मेरी पत्नी के लिए जीवन का यह पड़ाव बहुत ही सुन्दर व खूबसूरत था। एक दूसरे के प्रति हमारा कुछ ऐसा समर्पण भाव था कि बिना कुछ कहे हम एक दूसरे की खुशियों का ध्यान रखते।

मेरी पत्नी पूजा पाठ व अन्य धार्मिक कार्यो में काफी रूचि रखती थी। मुझे भी उसे ऐसा करते देख कर खुशी होती थी।

हमारा जीवन खुशियों से भरा हुआ था। लगातार उच्च विचारों के अध्ययन से मेरी विचारधारा में एक सकारात्मक मोड़ आ चुका था। एक अलग तरह का आत्मविश्वास व प्रसन्नता मेरे दिल व दिमाग में मौजूद रहती थी। मुझे लग रहा था कि उस निराकार शक्ति ने स्वंय मेरे सारे संदेह दूर कर दिए हैं।

मेरा जीवन हर दृष्टिकोण से मुझे पूर्ण लगता था।

मेरा जीवन अगर यूं ही चलता रहता तो यह बहुत शानदार होता। पर ऐसा हो ना सका।

किस्मत का मुझसे नाराज़ हो जाना....

मेरी किस्मत मुझसे नाराज़ हो चुकी थी.... जिसका मुझे कोई अन्दाजा न था। मेरा बुरा वक्त दबें पांव धीरे–धीरे मेरे पास आ रहा था। उसका भी मुझे कोई आभास न था। मैं तो इन सबसे बेखबर अपनी दुनिया में व्यस्त था।

पांच अक्तूबर....2017

और फिर मेरी जिन्दगी में अचानक वो हो गया....जिसकी मैंने कभी कल्पना भी नहीं की थी। अब तक जो कभी मैने सपनों में भी न सोचा था....वह दुःखद घटना मेरे साथ घट गई। सुबह मेरी पत्नी बाथरूम में अचानक गिर कर बेहोश हो गई। जब हमें पता चला.... उसे जल्दी से बाहर निकाला। मैं और परिवार के सभी सदस्य पास ही थे। सभी घबराहट में कुछ ना कुछ कर रहे थे कि किसी तरह वह होश में आ जाए। जल्दी से डाक्टर को बुलाया गया। उसने नब्ज व ब्लड प्रैशर वगैरा चैक किया....और कहा कि इनकी हालत नाजुक है। इन्हें बड़े हस्पताल ले जाने की जरूरत है। हमने उसी वक्त उन्हें गाड़ी में लिटाया। अब हमें लगभग 20 कि. मी. दूर बड़े डाक्टर के पास जाना था। मेरे बार–बार पुकारने पर भी वह बोल नहीं रही थी। मेरी घबराहट अपनी चरम सीमा पर थी। उसे बेहोश देख कर मेरी सोचने समझने की शक्ति खत्म हो चुकी थी।

लगभग 30 मिनट बाद हम डा. साहब के पास पहुंचे। वे उस गाड़ी के पास ही आ गए थे जिसमें मेरी पत्नी लेटी हुई थी। उन्होंने मेरी पत्नी की नब्ज देखी और फिर आंखों की पुतलियों को खोल कर

देखा। मैं आशा भरी नज़रों से उन्हें देख रहा था कि वे कहेंगे....कि अब ये ठीक हो जाएंगी.... घबराने की कोई बात नहीं। पर ऐसा कुछ ना हुआ। उन्होंने ना... के.... अन्दाज में सर हिलाते हुए मेरे परिवार वालों को यह बता दिया कि वे अब इस दुनिया में नही हैं।

मैं जैसे पत्थर का हो चुका था....एकदम चेतना शून्य....। अनहोनी का यह विकराल रूप देखकर मैं अन्दर ही अन्दर कांप गया था।

लगभग एक घन्टे के अन्दर ही मेरी सारी दुनिया बदल चुकी थी। मेरे महसूस करने वाले सारे अंग जैसे सुन्न हो गए थे। मेरी आंखें खुली हुई थीं.... लेकिन जो कुछ भी मुझे नज़र आ रहा था.... उसका कोई असर मुझ पर नहीं हो रहा था।

फिर हम उसे लेकर वापिस अपने घर आ गए। मेरे बच्चों का व अन्य परिवार वालों का उस समय क्या हाल होगा.... इसे बताना असम्भव है।

हमारे घर के चारों तरफ एक अजीब सा सन्नाटा छाया हुआ था।

जान–पहचान वाले आ रहे थे ताकि इस गहन पीड़ा की घड़ी में हमारे दुःख को कुछ कम कर सकें। मेरा मन भाव शून्य था और शरीर जैसे बेजान हो चुका था।

फिर वो सब कुछ हुआ जो होना था। सभी परिवार वालों ने रोते बिलखते उसके पार्थिव शरीर को अग्नि के हवाले कर दिया।

उस दिन का एक–एक पल मेरे लिए इतना भारी व पीड़ा से भरा था कि उसकी कल्पना करते हुए भी दिल कांप उठता है।

हरिद्वार जाना.... एक दर्द भरा सफर

अगले दिन अपनी पत्नी के अस्थि विर्सजन के लिए मैं और परिवार के कुछ सदस्य हरिद्वार के लिए घर से चले। हमारी गाड़ी उन रास्तों से गुजर रही थी.... जिन पर पहले मैं कई बार अपनी पत्नी के साथ यात्रा कर चुका था। बीते वक्त की यादें मुझे निराशा के गहरे अन्धकार में ले जा रही थीं। आंतरिक पीड़ा के कारण मेरे विचार रूक से गए थे। मैं कुछ भी समझ पाने की हालत में नहीं था। यादों के दर्द असह्यनीय होते जा रहे थे।

शाम को लगभग पांच बजे हम कनखल पहुंचे.... जहां हमने उसकी अस्थियों को गंगा के सुपुर्द करना था। जब विधिपूर्वक मैं उन्हें गंगा में बहाने के लिए सीढ़ियों की ओर बढ़ा.... तब उन अस्थियों को देखकर मेरा सारा वजूद हिल गया। मुझे विश्वास ही नहीं हो रहा था कि दो दिन पहले जिसके साथ हम सब हंस खेल रहे थे वह इस तरह से मेरे हाथों में होगी।

पता नहीं दर्द और पीड़ा से भरे अपने मन की किस हालत में मैंने उसकी अस्थियों को गंगा में प्रवाहित किया होगा ? इस सवाल का जवाब खुद मेरे पास भी नहीं है।

कुछ रस्में अगले दिन सुबह होनी थीं इसलिए रात को हमें हरिद्वार में ही रूकना था।

हरिद्वार की पीड़ा भरी वह रात.... और एक दैवीय विचार

हरिद्वार में रात को ठहरने के लिए हमने गंगा घाट के किनारे होटल का एक कमरा ले लिया। लगभग 10 बजे हम सब सोने के लिए लेट गए। मुझे ना तो नींद का कुछ पता था.... और ना ही स्वयं का.... कि मैं कहां हूँ। दिलो–दिमाग में इतनी बेचैनी व दर्द भरा हुआ था....लग रहा था न जाने मेरे साथ क्या होने वाला है ?

नींद मेरी आंखों से कोसों दूर थी। कुछ देर बाद मैं कमरे से निकल कर बाहर घाट पर आ गया। रात के लगभग 11 बज चुके थे। गंगा के पानी की चलने की आवाज मेरे कानों में गूंज रही थी। मेरा मन अपनी पत्नी से बिछड़ने की पीड़ा से भरा पड़ा था। रोते हुए जैसे वह कह रहा था....हे गंगा मैया.... मैं इस असीम दर्द को सहन नही कर सकता। मुझे अपने आप में समाहित कर लो। मेरी आखें आंसुओं से भरी हुई थीं। फिर मैंने अपना सर उठा कर आसमान की ओर देखा.... मेरा मन जैसे कहने लगा.... हे भगवान.... हर वक्त मेरे सुख दुःख की साथी मेरी पत्नी की जुदाई मैं कैसे बर्दाश्त करूंगा ?

गंगा घाट की वह भयावह रात मैं कभी भी नही भूल सकता। काफी लोग इधर–उधर आ जा रहे थे। लेकिन मेरे लिए हर तरफ जैसे एक सूनापन और विरह के भाव का सन्नाटा पसरा हुआ था। मैं घाट पर ही एक जगह बेजान सा हुआ बैठा था। मेरे आस–पास काफी रोशनी थी.... लेकिन मेरे मन में पत्नी की यादों के दर्द का घनघोर अंधेरा छाया हुआ था। मुझे याद आ रहा था कि कभी मैं

उसके साथ इसी घाट पर घूमा फिरा था। क्योंकि मेरे साथ धार्मिक स्थानों पर घूमना उसके जीवन की पहली पसन्द थी। पर आज वो इसी गंगा में विलीन हो चुकी थी।

मैने दुःखी हद्य से नज़र उठाकर अपने चारों और देखा मुझे लगा जैसे वो यहां हर तरफ मौजूद है। दर्दो का ज्वारभाटा.... आंसू बनकर मेरी आंखों से बहने लगा।

यादों के डंक इतने जहरीले थे....मुझे लग रहा था कि मेरी सांसें शायद यूं ही रूक जाएंगी। कुछ देर बाद मैं खुद को संभालते हुए अपने कमरे में आया और अपने आप को बिस्तर पर गिरा दिया। उस वक्त रात का लगभग एक बजा होगा....मुझे कब नींद आई....पता ना चला।

वह नींद नहीं थी.... तकलीफों के बोझ से शायद मैं बेहोश हो गया था। जब मेरी आंख खुली.... सामने दिवार पर लगी घड़ी पर मेरी नज़र पड़ी.... वहां सुबह के 4 बजे हुए थे। मैं लगभग तीन घंटे नींद या बेहोशी की हालत में रहा था। जब थोड़ा अच्छे से मेरी नींद खुली तब मुझे लगा जैसे मेरा दूसरा जन्म हुआ है। मैने अपनी चलती सांसों को महसूस किया उस वक्त यह अनुभव मेरे लिए बहुत अनोखा था। मैं जैसे पीड़ा के सैलाब से गुज़र कर किसी छोटे से किनारे पर आ गया था। मैने आस–पास देखा परिवार के अन्य लोग अभी सो रहे थे। मेरा दिमाग थोड़ा बहुत काम करने की स्थिति में था। मुझे लगा जैसे नींद में मेरे साथ कुछ हुआ था। मुझे कोई सपना आया हो ऐसा मुझे कुछ याद नहीं आ रहा था। लेकिन मन के किसी गहरे कोने में मुझे आभास

हो रहा था कि जैसे कोई अनजानी शक्ति मेरे अन्दर जीवन का संचार कर रही है। निराशा के गहरे अंधेरों में जैसे एक रोशनी की किरण प्रवेश कर रही हो।

फिर अचानक मुझे लगा जैसे वह शक्ति मेरी पत्नी मुझे दे रही है। मुझे उसकी मौजूदगी का अहसास हो रहा था। जैसे वह कह रही हो.... आप अपने इस गहन दर्द को शब्दों का रूप देकर अपने दिल से निकालने की कोशिश करो। क्योंकि वह मेरे लिखने के स्वभाव को जानती थी। ऐसे समय इस विचार का मेरे जहन में आना मुझे कुछ अजीब सा लगा। फिर मैं अकेला अपने बिस्तर पर बैठा लिखने के इस विचार पर सोचने लगा।

थोड़ी बहुत सांईस की जानकारी होने के कारण मैं हर बात के पीछे प्रमाण देखने की कोशिश करता था। लेकिन उस दिन मुझे महसूस हुआ कि किसी की यादों या भावनाओं की पराकाष्ठा सांईस से बहुत ऊपर है।

अगर मैं अपने दिल की गहराइयों में झांक कर देखता हूं तो वहां शब्दों में ना आने वाला एक ऐसा अहसास नज़र आता है....जिससे लगता है कि मेरी पत्नी की पूजा–पाठ व आध्यात्म की शक्ति उस रात जैसे मेरे अन्दर समा गई हो। वही ताकत मेरे बिखरे वजूद को संभाल रही थी।

वरना जिस दुःख के सागर में मैं डूबा हुआ था वहां से मेरा बच निकलना संभव न था।

सुबह जल्दी हमने कुछ और जरूरी रस्में करनी थी। मैं भावशून्य सा हुआ सब कुछ करता जा रहा था।

रात को जो लिखने का विचार था वो अब भी मुझे थोड़ा बहुत याद था। मैं सोच रहा था कि कुछ शब्द लिखने से इस असीम दर्द का कम होना कैसे सम्भव है ? मेरा तर्कशील दिमाग इस बात को मानने के लिए तैयार न था। लेकिन मेरी पत्नी की धार्मिक कार्यो की आस्था....मेरे मन में यह विश्वास जगा रही थी कि ऐसा जरूर होगा।

इसके बाद कैसे उस दैवीय विचार ने मुझे लिखने की प्रेरणा दी.... और उसका कैसा असर मुझ पर रहा....और कैसे शब्दों ने मिलकर इस पुस्तक का रूप ले लिया ?

वो सब जिस तरह से हुआ....उसी तरह अगले पन्नों पर लिखने की कोशिश करूंगा।

हरिद्वार से आने के बाद लगभग दो हफ्ते तक हम सब परिवार वालों ने मिल कर वो रस्में कीं जो बिछड़ चुकी आत्मा की शान्ति के लिए की जानी थीं। इस बीच कुछ जरूरी काम करते हुए मुझे लिखने के विचार की भी याद आती रही। एक दो बार जब समय मिला.... मैने कोशिश भी की। लेकिन थोड़ा सा लिखने के बाद ही उसकी यादों के दर्द मेरी कलम को रोक देते। मुझे लगता जैसे मुझे चारों ओर से दुश्मनों ने घेर रखा है और वे मुझसे कही ज्यादा ताकतवर हैं। मैं उनके सामने बेबस हूँ। उनके चेहरे बहुत भयानक हैं और मुझे

उनसे डर लग रहा है। इन दिनों हालात के सामने मैं इस तरह से लाचार था।

मेरे व मेरे बच्चों और परिवार के अन्य सदस्यों के मन में उसकी यादों की पीड़ा हर पल भरी रहती थी। कोई किसी को कुछ नही कहता था। सभी जैसे उसकी जुदाई के दर्द को अन्दर ही अन्दर सहन करते हुए.... ऊपर से सहज रहने की कोशिश करते रहते थे।

लेकिन हम सब को ये दुःख बर्दाश्त करने ही थे। विधि के विधान के आगे कोई कुछ नही कर सकता था।

अक्तूबर महीने के आखिरी दिन व नवम्बर का महीना

लग रहा था जैसे मैं तकलीफों की किसी गहरी अंधेरी गुफा में फंस गया हूँ और वहां से निकलने का मुझे कोई रास्ता नज़र नहीं आ रहा। ऐसा महसूस होता था कि मुश्किलों के बोझ के नीचे मैं दब गया हूं और मेरी सांसे मेरा साथ छोड़ने को तैयार हैं। अपनी पत्नी से बिछड़ने के गम के कारण मेरे मन का कुछ ऐसा हाल था।

लेकिन मुझे किसी भी तरीके से उस पीड़ा से खुद को बिखरने से बचाना था। ऐसा विचार जैसे कोई अनजानी शक्ति मेरे दिलो दिमाग में डाल रही हो। मेरा तर्क शील दिमाग चाहे कुछ भी कहे लेकिन मैं आज भी मानता हूं कि उस बुरे हालात में मेरी पत्नी ने एक अद्भुत ताकत मुझे दी जिसके कारण मैं खुद को संभाल पाया।

फिर अचानक मैं एक दिन अपने पुराने लिखे पन्नों को पढ़ने लगा। गुजरे वक्त के बहुत से विचार व यादें वहां मौजूद थीं।

वहां उन सकारात्मक विचारों के भी काफी अंश लिखे हुए थे जो कभी मेरी जिन्दगी का अहम हिस्सा थे। उन विचारों ने भी मुझे थोड़ी सी दिलासा दी। उन्हें मैं लगातार दो–तीन दिनों तक पढ़ता रहा। इससे मुझे बहुत हिम्मत मिली। जैसे अंधेरों में एक रोशनी नज़र आ गई हो। उस वक्त उन विचारों से मिला थोड़ा सा आत्मबल भी मेरे लिए बहुत था।

मैं पुरानी फाईल को देखते हुए कुछ लिखने की कोशिश करने लगा। फिर जैसे एक नया रास्ता मुझे नज़र आया। मैने सोचा क्यों ना कुछ पुराने शब्दों को लेकर.... और कुछ मन की बात लिख कर एक

किताब लिखी जाए। इस विचार से मुझे एक अजीब सी शक्ति मिली। मुझे याद आया कि कई साल पहले मेरी पत्नी ने भी मुझे यह सुझाव दिया था। लेकिन उस समय इस काम को करना मुझे बहुत मुश्किल लगा था। वैसे भी उस वक्त मैं अपने जीवन से इतना संतुष्ट था कि मैने इस तरफ ज्यादा ध्यान नहीं दिया।

लेकिन इस वक्त मुझे लगा यह सिर्फ एक विचार ही नहीं.... मेरे बेजान हो चुके मन व शरीर के लिए एक संजीवनी है।

मुझे फिर दोबारा हरिद्वार की वह रात याद आ गई.... और मेरी पत्नी द्वारा दिया वह विचार भी.... मुझे लगा आज का किताब लिखने का विचार और उस रात का विचार.... दोनों का मतलब एक ही हैं। यही कि मुझे शब्दों द्वारा इस दर्द को दिल से बाहर करना होगा। यही वह समय था....जब मैने इस किताब को लिखने का निश्चय किया।

दिसम्बर....जनवरी.... व फरवरी के महीने में पुस्तक की थोड़ी शुरूआत

इन महीनों में मैने यादों की असीम ताकत को महसूस किया।

अपनी पत्नी के साथ बीता हुआ कई वर्षो का लम्बा समय अब मुझे याद आ रहा था। यादों की उस पीड़ा को कहना किसी भी तरीके से सम्भव नहीं।

अपनों की यादें कितनी प्रभावशाली हो सकती हैं और कैसे वे हमारे जीवन को बदलने की ताकत रखती हैं ? यह सच्चाई मेरे अनुभव का हिस्सा बन चुकी थी।

अपनी पत्नी से बिछड़ जाने की पीड़ा इन दिनों इतनी ज्यादा थी कि मुझे लग रहा था कि मेरे साथ कुछ भी बुरा हो सकता है। इसलिए मेरे मन में सिर्फ एक ही विचार था कि कैसे भी हो मुझे इस दर्द को इतना कम करना होगा ताकि मैं इसे सहन कर सकूं। धीरे–धीरे मैंने थोड़ा बहुत लिखना शुरू किया। यही वह समय था जब मैंने उस दिन के बारे में लिखा जिस दिन यह दुःखद घटना हुई थी।

उस दिन का एक–एक पल जैसे मेरे अन्दर ठहरा हुआ था। ज्यों ज्यों मैंने अपने उस बुरे समय को शब्दों में लिखना शुरू किया.... वह लम्हें फिर से जैसे टिक–टिक करते हुए मेरे जहन में चलने लगे। फिर मैने हरिद्वार जाने और बाकी दिनों की बातों को भी लिखा।

उस एक–एक पल के बारे में लिखने के बाद मुझे लगा जैसे कोई जहरीला सा पदार्थ मेरे वजूद में से निकल गया हो। तब मुझे कुछ ऐसा महसूस हुआ जैसे मेरे साथ कुछ ठीक हो रहा है। यही वे दिन

थे जब मुझे लगा कि हरिद्वार की रात को मेरी पत्नी द्वारा दिया वह विचार साधारण नहीं था। उसमें एक दैवीय शक्ति मौजूद थी।

मुझे महसूस होने लगा था कि लिखने से मुझे कुछ ऐसी ऊर्जा मिलती है जो उस समय मेरे जीने के लिए जरूरी थी।

इन महीनों में मैने कई पन्नों पर अपने द्‌र्द के बारे में भी लिखा। उनमें से एक पन्नें को उसी तरह यहां लिख रहा हूं जैसे एक दिन लिखा था....

यादों का दर्द....

अठारह दिसम्बर शाम छः बजे

बाहर काफी सर्दी हैं। मैं अकेला अपने कमरे में हूं। अपने विरह के दर्द के बारे में लिखने की फिर वही नाकाम सी कोशिश कर रहा हूं। न जाने ये तकलीफ इतनी गहरी क्यों हैं ? क्यों मैं इन्हें शब्दों में कह नही पाता ? क्यों मुझे थोड़ा सा भी चैन नहीं आता ?

आज फिर उसकी यादों को लिख रहा हूं....

ये दर्द इतने गहरे हैं कि इनके कम होने के कोई आसार नजर नहीं आते। घर के हर कोने में उसकी यादों की निशानियां मौजूद हैं....

वह पूजा रूम.... जहां हर रोज वह सुबह–शाम पूजा करती थी. .. लगता है जैसे अभी पूजा करके बाहर आ जाएगी।

स्टोर में रखी वह अलमारी....जिसमें वह अपना सामान सहेज़ कर.... अच्छी तरह बड़े शौक से रखती थी.... लगता है वहां रखी हर चीज़ अब भी उसके स्पर्श का इन्तज़ार कर रही है।

और बाहर खुले आंगन में लगे कुछ पौधे जिन्हें वह हर रोज पानी देती थी.... लगता है वे प्यासे हैं .... और उसका आने का इन्तजार कर रहे हैं। उनमें एक पौधा नींबू का भी है....जो आजकल सर्दियों में फल देता है। वह भी जैसे कह रहा हो.... मैं नींबूओं से भर गया हूं .... मेरी मालकिन मेरे फलों को तोड़ने कब आएगी ?

हम सब को पानी देने वह कब आएगी ?

लेकिन मेरे उदास चेहरे व खामोशी को देख कर जैसे वे सब कुछ समझ जाते हैं.... और चुप हो जाते हैं।

रात का अंधेरा गहराता जा रहा है। मुझे अपने दर्द को दिल में ही समेटना होगा क्योकि मुझे दुःखी देखकर मेरे बच्चों को तकलीफ होगी। मुझे अभी रात का खाना भी खाना है।

सुरेश....

एक पन्ना ऐसा भी था....

5 जनवरी 2018 रात लगभग 11 बजे

बाहर घना अंधेरा है। ठण्डी काली स्याह रात सांय–सांय करते हुए जैसे मुझे डरा रही हो। पुराना साल गया था या नया आया.... मुझे कुछ पता नहीं। सूरज हर रोज सुबह उगता है और शाम को रात की गोद में जा कर सो जाता है। सब कुछ पहले जैसा ही है। लेकिन मेरे लिए जैसे सब कुछ बदल चुका है। पहले जैसा कुछ भी महसूस नहीं होता।

मेरे आस–पास की हर चीज़ का रंग जैसे फीका पड़ गया है। अपनी पीड़ा के बारे में भी मैं कब तक और क्या–क्या लिखूंगा? उसकी हर याद के साथ ये दर्द तो और गहरे हो जाते हैं। लगता है अब तो़ मुझे इन्हें ही अपना साथी बनाना होगा। लेकिन मुझे तो इनसे दोस्ती करनी भी नही आती। क्योंकि मैंने तो हमेशा अपने विचारों के पंख लगा कर खुशियों के खुले आसमान में उड़ने की कोशिश की है।

न जाने इस वक्त का सामना मैं कैसे कर पाऊंगा ?

ऐसे होते हैं यादों के दर्द....असह्यनीय....अवर्णनीय....।

सुरेश.....

मार्च....व अप्रैल....

मुझे कई बार लगा कि पुस्तक लिखने का विचार छोड़ देना चाहिए। क्योंकि अपनी ही तकलीफों के बारे में लिखना मुझे अजीब सा लगता था। लेकिन इसे लिखते–लिखते जो सकारात्मक प्रभाव मेरे जीवन पर पड़ रहे थे वे शायद मेरे लिए ज्यादा महत्व रखते थे। इस तरह मेरी हां और ना जैसे दो विरोधी मानसिक विचारों को पार करते हुए यह पुस्तक धीरे–धीरे अपनी पूर्णता की ओर बढ़ती गई। इसमें कई मुश्किलें भी आई.... लेकिन वे सब इस तरह से दूर होती चली गई जैसे कोई अनजानी शक्ति यह सब कर रही हो।

निसन्देह मेरी पत्नी की प्रेरणा....या उसके द्वारा दिए गए दैवीय विचार के कारण यह पुस्तक लिखी गई। इसे लिखते हुए वह हमेशा एक अदृश्य रूप में मेरे साथ रही है....। यही अहसास मेरे लिए इस पुस्तक को लिखने की छोटी से मेहनत का बहुत बड़ा ईनाम है।

मार्च व अप्रैल के दिनों में समय गुजारने के लिए पुस्तक के काम को मैने जारी रखा। इन्ही दिनों पुरानी लिखी कुछ लाईनों को पुस्तक में लगाया। यही वो दिन थे जब मैंने इस पुस्तक के शुरू के पन्नों पर अपने बचपन से लेकर अब तक की मुख्य यादों के बारे में लिखा। इस बदले हुए हालात में मेरी यादों ने जैसे मुझे घेर रखा था। वे एक चलचित्र की तरह मेरी आंखों के आगे घूम रही थीं।

इसीलिए मुझे लगा यह जिन्दगी हमारी यादों का ही एक सफर है।

थोड़ा बहुत लिखने के साथ–साथ अपने लिखे हुए पुराने पन्नों को भी कहीं–कहीं से देखता रहता था। बीत चुके वक्त की कुछ अच्छी यादें भी वहां मौजूद थी।

पुराने शब्दों को पढ़ते हुए कैसे कुछ यादें फिर से ताज़ा हो गईं वो कुछ इस तरह से हुआ।

दिल्ली की यादें

स्वाभाविक था कि हम बच्चों के साथ कभी–कभी रिश्तेदारों को भी मिलने जाते थे। अपने सगे सम्बन्धियों को मिलना रिश्तों की मिठास को और बढ़ा देता था। इससे नए–नए अनुभव भी मिलते थे।

दिल्ली में कड़कड़डूमा के गीतांजली अपार्टमैंट में भैया–भाभी का घर है। वहां हम सपरिवार लगभग हर साल जाते थे। ऐसा पिछले तीस सालों से हो रहा था। इस तरह दिल्ली से हमारी बहुत सी यादें जुड़ी हुई हैं।

वहां जाना हम सब के लिए हमेशा ही अच्छा अनुभव रहा है। दिल्ली हमें अच्छी लगती रही है....क्योंकि भैया भाभी जैसे अच्छे लोग वहां रहते हैं। इसलिए दिल्ली की हवाओं में हमें एक अलग ही आकर्षण नज़र आता था। इस अहसास को कभी मैने यूं लिखा था....

गलियों की या गलियारों की,
या भीड़ भरे बाजारों की,
या खुशबू इसकी मिट्टी की,

मुझे खींचे अपनी ओर,
चुम्बक जैसे काम है करती,
दिल्ली की यादों की डोर।।

पुराने पन्नों पर लिखें यही वो शब्द थे जिन्हें पढ़ कर दिल्ली की और भी बहुत सी यादें मन में आने लगीं।

ग्लैमरस–सी हैं,
भीड़ बड़ी है,
चकाचौंध से भरी पड़ी हैं,
किसी और शहर की बात नहीं ये,
यह तो अपनी दिल्ली ही है।
हाथों में इसके,
रही हमेशा,
ताकत,
देश चलाने की,
इसलिए तो कहा सभी ने,
यह तो दिल की
बहुत बड़ी है।
किसी और शहर की बात नहीं ये,
यह तो अपनी दिल्ली ही है।।

इस तरह दिल्ली का आकर्षण कभी–कभी मेरे शब्दों में आ जाता था। लेकिन उसके बिना अब सब कुछ फीका सा लगने लगा है।

याद लखनऊ की....

इसी तरह रिश्तेदारों को मिलने हम लखनऊ भी जाते थे। वहां की भी बहुत सी यादें मेरे जहन में मौजूद हैं।

एक बार जब हम वहां की भूलभलैया देखने गए....मुझे लगा यह बहुत अद्‌भुत रचना है। वहां पर एक जैसे बहुत से दरवाजे व रास्ते नजर आते हैं। अगर एक बार हम तीन या चार दरवाजे पार कर जाएं .... और फिर पीछे मुड़ कर देखें.... तो वहां हमें एक ही जैसे कई रास्ते नज़र आएंगे। यानि हम दोबारा उस जगह नहीं पहुंच सकते जहां से चले थे। मतलब कि थोड़ा सा आगे चलते ही हम उस भूलभलैया में गुम हो जाते हैं।

इसी भूलभलैया के बारे में मैंने बाद में कुछ लाईनें लिखी थीं। जिसे देखकर मुझे वो गुजरा समय याद आ गया। उन लाईनों के शब्द कुछ ऐसे थे....

लखनऊ की भूलभलैया जो देखी,
लगा जिन्दगी भी है ऐसी।
सुख–दुःख के दरवाजे आते,
गुजरें जब एक से,
उलझ दूजे में जाते,
कैसे ढूंढे राह मंजिल की,
इस भूलभलैया की....और जिन्दगी की भी।
टेढ़ी–मेढ़ी मुश्किलों से भरी सी,

जैसे कोई उलझी गुत्थी सी,
लगती दोनों एक ही जैसी,
यह भूलभलैया भी'....और यह जिन्दगी भी।
कहानी जिन्दगी की कुछ ऐसी,
गुम हो जाते हम सब इसमें,
गलियां हो भूलभलैया की जैसी,
हां....यह सच है....
लखनऊ की भूलभुलैया जो देखी,
लगा जिन्दगी भी है ऐसी।।

इसी तरह अपने सगे सम्बंधियों से जुड़ी हुई अनेक यादों के अत्याधिक प्रभाव को मैंने महसूस किया। यह भी जाना कि यादों की ताकत इतनी शक्तिशाली होती है कि ये हमारे हर विचार या हर सोच पर भारी पड़ सकती है।

मई व जून 2018

इस पुस्तक का अधिकतर कार्य मई व जून के महीने में हुआ।

लिखने से या पुस्तक का काम करने से मैं थोड़ा व्यस्त तो जरूर हो गया था। लेकिन दर्द तो जैसे अब इस जीवन का हिस्सा बन चुके थे।

जिन्दगी..... एक ही सिक्के के दो पहलू

पुराने पन्नों को देखता तो उन खूबसूरत दिनों की भी याद आती.... और मैं सोचता कि कैसे हमारी जिन्दगी से सुख और दुख जुड़े हुए हैं। जैसे एक ही सिक्के के दो पहलू हों।

जब मेरा जीवन बहुत ही अच्छे दौर से गुजर रहा था.... तब वे अनुभव मेरे लिखने के स्वभाव के कारण कभी–कभी शब्दों का रूप ले लेते थे....

कुछ इस तरह....

मजबूरी नहीं, शौक हैं हमें,
हर पल खुशी से जीने का,
सीख लिया हैं, हुनर जो हमने,
जिन्दगी के गमों को पीने का।।

फिर जिन्दगी में जब हमें कुछ मुश्किलों का सामना करना पड़ता है तब हमारे लिए जैसे सब कुछ बदल जाता है।

पहले खुशी में लिखता था....
आजकल खुशी की तलाश में....

देखे थे कभी,

आसमां खुशियों के,

अब देखता हूं।

दर्द भरी यादों के,

गहरे समुन्द्र तल,

उन्हीं के बीच,

ढूढंता हूं कही,

राहत के दो पल।।

मेरे बदले हुए हालात में मेरे शब्द भी बदल गए।

कुछ ऐसे....

जिन्दगी की शतरंज में,
अपने हिस्से की बाजी,
हम जीत चुके थे कब से,
पर पलट गए सब मोहरे,
रानी अपनी किस्मत की,
रूठ गई जब हम से।।

जिन्दगी अब कुछ ऐसे लगने लगी थी....

मायूस से हो गए हैं दिन,
पर कुछ काम तो करना होगा,
अब एक युद्ध सी है जिन्दगी,
ता–उम्र इससे लड़ना होगा।।

यही है शायद इस जिन्दगी की कहानी.... एक सिक्के की तरह.... कभी खुशी वाला हिस्सा सामने होता है तो कभी गम वाला।

जुलाई 2018

जुलाई के शुरू के दिनों में जब सभी पन्नों को मैने संकलित करके सही तरीके से लगाया उस समय मुझे महसूस हुआ कि अब यह पुस्तक लगभग पूरी हो चुकी है। उस वक्त गुजरे समय की सकारात्मक विचारधारा की खुशबू जैसे मेरे अन्दर प्रवेश कर गई हो। पिछले आठ महीनों से मानसिक तकलीफों से जूझते हुए मेरे मन को जैसे थोड़ा सहारा मिल गया हो। मुझे लगा जैसे तपते रेगिस्तान से गुजरने के बाद किसी पेड़ की छाया और पानी मिल गया हो। मेरे अपनों के सहयोग व प्रोत्साहन से ही मैं इस पुस्तक को पूरा कर सका।

जिस तरह मैं अपनी पत्नी की जुदाई के दर्द को किसी भी तरीके से नहीं बता सकता....उसी तरह उसकी प्रेरणा से लिखी इस पुस्तक से मुझे कुछ ऐसा सहारा मिला कि उस भाव को भी मैं कोई शब्द नहीं दे सकता।

जिस दिन मुझे लगा कि आज यह पुस्तक लगभग पूरी हो चुकी है.... उस दिन ये थोड़े से शब्द लिखे थे।

14 जुलाई 2018

आज 14 जुलाई है....यही तारीख मेरी स्वर्गीय पत्नी के जन्म दिन की भी है। उसकी यादें हर लम्हा हमारे साथ रही हैं....और वह हमेशा हम सब के दिलों मे मौजूद रहेगी।

हमारे परिवार की सुख समृद्धि इस बात को बताती है कि उसकी आत्मा शान्ति से प्रभु चरणों में विलीन है।

उसी की प्रेरणा से आज जब यह पुस्तक लगभग पूरी होने को है.... एक अविश्वासनीय तरीके की संतुष्टि व आत्मबल के मिले जुले भाव मैं अपने दिल में महसूस कर रहा हूँ।

मुझे नही पता था.... कि एक विचार जो अदृश्य रूप में उसने मुझे दिया था....मेरे बेजान शरीर में फिर से जीवन का संचार कर देगा।

इन्हीं दिनों जब मेरी विचारधारा ने मुझे कुछ दिलासा दी....तब उस अहसास को मैने कुछ यूं लिखा था....

ऐ मेरे मन....ना घबरा मुश्किलों से,
सबक जीने का ....मिलेगा इन्हीं से।
जीवन में दुःख तो आएंगे,
ना करें लिहाज ये किसी से,
रोने से कुछ नही होगा,
सामना कर, इनका खुशी से,
ए मेरे मन....ना घबरा मुश्किलों से....

समझ कर विधान विधि का,
ना घबरा किसी तकलीफ से,
दुश्मनी से फायदा क्या,
आ करें दोस्ती इन्ही से।।
ए मेरे मन....ना घबरा मुश्किलों से....

किस्मत को ना बदल सका कोई,
झुकना होगा सामने इसी के,
ईश्वर पर रख भरोसा, ए मन,
कर हवाले खुद को उसी के।
ए मेरे मन....ना घबरा मुश्किलों से....
सबक जीने का....मिलेगा इन्हीं से।।

पिछले लगभग आठ महीनों में मेरा अधिकतर समय अपनी यादों के साथ गुजरा। कभी–कभी हमारे जीवन पर इनका असर इतना अधिक होता है कि हम उसकी कल्पना भी नहीं कर सकते। आम तौर पर हमें इनका अहसास नहीं होता। लेकिन इन दिनों मैंने स्पष्ट रूप से देखा कि हमें पता चले या ना चले पर ये हमेशा हमारे विचारों के साथ साथ चल रही होती हैं।

निसन्देंह यादें हमारी जिन्दगी का आधार हैं।

भाग दो

हमारे जीवन पर हमारी सकारात्मक विचारधारा का प्रभाव

इस पुस्तक के काम में व्यस्त होने के कारण ही मैं यादों के असीम दर्द को सह पाया। ऐसे समय मेरी विचारधारा ने भी धीरे–धीरे मुझे संभाला। भाग दो में उसी विचारधारा के कुछ अंश है। जो मेरे जीवन का अहम् हिस्सा रही है और जिसे मैंने सकारात्मक कहा है! उसके बारे में कुछ लिखे बिना मुझे यह पुस्तक अधूरी सी लगती! इसलिए इसे बाद में जुलाई के महीने में ही लिखा गया।

सकारात्मक विचारधाराः यानि ऐसे विचार जो हमारी इच्छाओं....कल्पनाओं और भावनाओं के बीच एक सही ताल मेल बिठा कर हमें सही तरीके से जीने का रास्ता दिखाते हैं।

हमारी विचारधारा हमारे जीवन से जुड़े हर पहलू को देखने का हमारा अपना नजरिया हैं। अच्छे विचार हमें सुख–दुःख में बेहतर मानसिक अवस्था में रखते हैं। इस वजह से हम सुखों को ज्यादा गहनता से महसूस कर सकते हैं और दुःखों का सामना स्थिर मन से कर सकते हैं।

हमारे दिमाग की कोई भी परेशानी या दिल से जुड़ी किसी भी तरह की निराशा हमारे विचारों के कारण ही होती है। इसलिए उन्हें विचारों द्वारा ही दूर किया जा सकता है।

ऐसे ही विचारों को हम सकारात्मक विचारधारा या पाजिटिव विजन कहते हैं।

सकारात्मक विचारधारा का हर विचार या कहें कि उससे जुड़ी हर बात हमारे जीवन को हर स्थिति में बेहतर बनाने के लक्ष्य से ही जुड़ी होती है।

कुछ ऐसे....

मुश्किल हालात में विचारों का महत्त्व....

जिन्दगी की बाजी हार कर भी हार ना मानें।

जीवन में अगर खुशियां हैं तो हम उन्हें महसूस करते हुए अपनी जिंदगी के सफर को हंसते हुए गुजारते हैं। हम सब ऐसा ही चाहते हैं। लेकिन ना चाहते हुए भी कई बार हमारा सामना मुश्किलों से हो जाता है। कुछ उलझनों को हम सुलझा लेते हैं लेकिन कुछ तकलीफें इतनी बड़ी या भयावह होती हैं कि हमें अपना जीवन बोझ लगने लगता है। ऐसे वक्त हमारे विचार ही हमें संभाल सकते हैं। दूसरा और कोई रास्ता नहीं।

हमारे साथ जो कुछ भी अच्छा नहीं हुआ उसके बारे में सोचकर निराशा से भर जाना या मन को दुःखी करना किसी भी तरह उचित नही कहा जा सकता। यह बात सही है कि कोई भी इन्सान अपने बुरे

वक्त को या किसी नुक्सान को एकदम नहीं भुला सकता। लेकिन जीवन को सही तरीके से जीने का मतलब है कि हमें अपने दिल से परेशानी को दूर करना ही होगा। तभी हम जीवन के सुन्दर रूप को देख सकते हैं और महसूस कर सकते हैं।

ऐसा करने में हमारी सकारात्मक विचारधारा ही हमारी सहायता कर सकती है।

जब हमें लगे कि हमारा सब कुछ खत्म हो गया है और हम जिन्दगी की बाज़ी हार चुके हैं'....ऐसे बुरे वक्त में हमारे सामने सिर्फ दो ही रास्ते होते हैं।

पहला तो यह कि हम उन दुःखों को अपने ऊपर हावी होने दें और स्वयं को निराशा के अंधेरों में डूबने दें। ऐसा होने से धीर–धीरे हमारी सोचने समझने की शक्ति समाप्त हो जाएगी.... और फिर हमारे दिमाग पर ऐसा डिप्रैशन छा जाएगा कि हमारा जीवन ही बिखर सकता है।

लेकिन ऐसे मुश्किल हालात में एक दूसरा रास्ता भी है। वह यह है कि सबसे पहले हम अपने सकारात्मक विचारों व दृढ इच्छा शक्ति से उन मुसीबतों या निराशा का सामना करने को तैयार हों। किसी तकलीफ का सामना करने की इच्छा से ही दूसरे कुछ ऐसे रास्ते निकल आते हैं कि हम कुछ समय बाद उन दुःखों पर काबू पा सकते हैं।

ऐसे समय में हमारे अपनों का सहयोग व परिवार के बड़े लोगों के विचारों का महत्व तो है ही लेकिन कुछ ऐसे सकारात्मक विचारों की सहायता से हम खुद को संभाल सकते हैं। जैसे....

न0 1: ऐसा सोच कर कि हमारा जीवन अमूल्य व अद्‌भुत है। कुदरत के इस उपहार को हमने यूं ही नष्ट नहीं करना।

न0 2: कुछ ऐसा विचार करें कि हमारा शरीर एक माटी का पुतला है। इसमें कुदरत ने एक अद्‌भुत अदृश्य शक्ति डाल रखी है। जिसे जीवन कहते हैं। इसी कारण हम इस अनोखे संसार को देख सकते हैं और अनेकों अनुभवों को महसूस करते हैं। यह अनमोल जीव तत्व एक निश्चित समय के लिए हमारे साथ है। जिस दिन यह निराकार जीव तत्व हमसे जुदा हो जाएगा उस दिन हमारा शरीर फिर मिट्‌टी हो जाएगा। इस तरह से मान कर और जीवन के महत्व को समझते हुए हमें हर हाल में इसे बेहतर तरीके से जीने की कोशिश करनी चाहिए।

न0 3: इस सच्चाई को समझें कि जीवन को अपने आप ही एक दिन पूरा होना है। फिर खुद ही अपने मन को कहें कि अगर ऐसा है तब क्यों ना मैं इसे अच्छे ढंग से जी कर पूरा करूं ?

न0 4: ऐसा भी समझें कि किस्मत के आगे आज तक किसी का जोर नहीं चला। चाहे कोई इन्सान कितना भी शक्तिशाली या बुद्धिमान रहा हो। इसलिए मुझे हर तकलीफ़ को उस निराकार शक्ति की मर्जी समझकर स्वीकार करना है.... और हर हाल में खुद को खुश रखने की कोशिश करनी है।

इस तरह के विचार हमें मुश्किलों से लड़ने की ताकत देते हैं। मैं समझता हूँ ऐसे विचार हमारे जीवन से जुड़ी हर महत्वपूर्ण चीज़ से भी ऊँचे हैं.... क्योकि यही हमें जीवन व इसकी हर बात के महत्व को सही तरीके से समझाते हैं।

हम सभी हमेशा सुखी रहना चाहते हैं। लेकिन बुरा वक्त कई बार हमारे जीवन में गम और तकलीफें ले आता है। हम उसे रोक तो नही सकते लेकिन समय को अच्छा बनाने की कोशिश जरूर कर सकते हैं।

हमारी सकारात्मक विचारधारा हमारे हर रिश्ते के महत्व को भी बताती है

जैसे....

हमारे जीवन में.... जीवन–साथी का महत्व

वैसे तो हमारे जीवन में हर रिश्ते का महत्व होता हैं.... लेकिन जीवन साथी के महत्व को इसलिए लिख रहा हूं क्योकि यह अहसास मेरे दिल के बहुत करीब है।

जीवन साथी के बिना हमारा जीवन वैसे ही है जैसे सूरज के बिना दिन या फिर सुगन्ध के बिना कोई फूल।

उसके बिना हमारी किसी भी खुशी का कोई मतलब नहीं। उसके बिना हमारा जीवन एक रेगिस्तान की तरह हो जाएगा। जहां किसी खुशी के कोई फूल नहीं खिल सकते। धन–दौलत या संसार के दूसरे आकर्षण हमें फीके से लगने लगेंगे।

इसलिए अपने जीवन साथी के साथ हमें हमेशा एक समर्पण भाव रखना चाहिए। स्त्री हो या पुरूष दोनों को दिल से एक दूसरे की इच्छाओं का सम्मान करना चाहिए। जीवन साथी की कोई भी आदत अगर हमें पसन्द ना हो तो भी उसके साथ ताल–मेल बना कर रखना चाहिए। इस सच्चाई को याद रखना चाहिए कि एक दूसरे का स्वभाव अलग होना कोई आश्चर्य नहीं। यह एक स्वाभाविक बात है।

अपने जीवन साथी की किसी भी बात या आदत को नापसन्द ना करें। जरूरत पड़े तो एक दूसरे से बातचीत करके हर समस्या

को सुलझाने की कोशिश करें क्योकि वही है जो हमारे दिल को खुशियां महसूस करने के काबिल बनाता है। इसलिए किसी भी हाल में अपनी जीवन साथी से नाराज़ ना हों। उसके साथ नाराज होने से हमारे मन की खुशियां महसूस करने की शक्ति जैसे समाप्त हो जाएगी। फिर दिल धड़केगा जरूर.... पर उसके सुन्दर अहसास गायब हो जाएगें।

इसलिए हर हाल में इस रिश्ते की मिठास को बनाएं रखें क्योंकि जीवन छोटा है और जितना भी है उतना समय जीवन साथी के साथ खुशी से गुज़ारें। ऐसा तभी होगा जब हम इस रिश्ते के महत्व को समझेंगे और मन से एक दूसरे के विचारों और भावनाओं का सम्मान करेंगें।

मेरा एकान्त....मेरा शिक्षक....

जब भी हम अपने पसन्द के साहित्य को पढ़ते हैं तो हमें एकान्त की जरूरत होती है। जीवन के प्रति अपनी कुछ जिज्ञासाओं को शांत करने के लिए मैं भी अपना अध्ययन अकेले में करता था। इस तरह कुछ पढ़ने व लिखने के कारण मेरा स्वभाव एकांत प्रिय हो गया था। अपने इसी अकेलेपन या तन्हाईयों ने मुझे बहुत कुछ सिखाया यह बात मेरे इन शब्दों से पता चलती है....

अक्सर मुझे बुलाती हैं.... मेरी तन्हाईयां,
कभी एक गुरू बन कर,
मेरे नादान दिल को,
नए सबक सिखाती हैं.... मेरी तन्हाईयां....
कोई विचार मिलता है,
जब जिन्दगी से मुझे,
उसकी गहराई तक,
मुझे ले जाती हैं.... मेरी तन्हाईयां।
मायूसी के अंधेरे,
छा जाते हैं जब मुझ पर,
मेरे ही विचारों से,
फिर से,
मुझे रोशन बनाती हैं.... मेरी तन्हाईयां...

राहे सफर में,

दिल पर,

लगती है,

जब कोई ठोकर,

उस पर अनमोल बातों का,

मरहम लगाती हैं.... मेरी तन्हाईयां....

अच्छे विचारों के,

अर्थ को समझा कर,

मेरे जीवन को,

सकारात्मक बनाती हैं.... मेरी तन्हाईयां....

अक्सर मुझे नए सबक सिखाती हैं.... मेरी तन्हाईयां....।

हां....अक्सर मुझे बुलाती हैं.... मेरी तन्हाईयां।।

अकेलेपन में सीखे कुछ सबक कभी–कभी मुझे सुन्दर अनुभव भी देते थे। कुछ ऐसे....

दूर.... कहीं सूरज,

रात की गोद में,

सोने जा रहा है।

आज सुबह मैं उठा था,

फिर ऑफिस गया,

अब अंधियारा,

होने जा रहा है।

हर रोज ऐसा ही होता है,
हम सब के साथ,
पर कल, नया सवेरा,
होने जा रहा है।
क्योंकि सीखा है, जिन्दगी से,
जीने का नया तरीका,
इसलिए नई खुशियों का,
एहसास होने जा रहा है।

मेरी विचारधारा का आधार....

मनुष्य जीवन अद्‌भुत....

अपने जीवन के लम्बे समय में मैने जिन्दगी के प्रति हमेशा एक पाजिटिव सोच रखने की कोशिश की है। मैं यह भी मानता हूं कि हर इन्सान के पास अपने जीवन को बेहतर बनाने के अद्‌भुत विचार होते हैं। क्योंकि हर इन्सान कुदरत की अनुपम रचना है।

हर इन्सान का यह अनोखापन ही मेरे विचारों का जैसे आधार है। इसी से मैने जाना कि इन्सान इस धरती का सबसे भाग्यशाली जीव है।

जैसे यह बात वैज्ञानिक व आध्यात्मिक स्तर पर प्रमाणित है कि पृथ्वी पर मौजूद लाखों जीवों व इन्सान के जीवन का मूल रूप एक ही है। लेकिन दुनिया के सारे सुख व आराम इन्सान के हिस्से में ही आए हुए हैं। जबकि इन्सान से कहीं ज्यादा ताकतवर जीव इस धरती पर मौजूद हैं। जैसे पक्षी हवा में उड़ सकते हैं। पानी में लाखों जीव रहते हैं। लेकिन ऐसी कोई शक्ति इन्सान के पास नहीं हैं। इसके अलावा शेर या हाथी जैसे बहुत से जानवर शारीरिक ताकत के हिसाब से भी इन्सान से कहीं आगे हैं।

लेकिन फिर भी संसार का सारा ऐश्वर्य इन्सान के लिए ही बना हैं। बाकी जीव तो अपनी भूख मिटाने के लिए ही घूमते रहते हैं।

इसके पीछे एक ही कारण है....वो है इन्सान का दिमाग....।।

जो इस सृष्टि की सबसे अनोखी रचना है। उसके इसी बुद्धि बल के आगे बाकी सभी जीवों की असाधारण शक्तियां छोटी पड़ गई हैं।

इसीलिए इन्सान का जीवन सचमुच बहुत अद्‌भुत है। यह विचार पढ़ने में जितना साधारण लगता है....उतना है नहीं। इसका सकारात्मक प्रभाव तभी हमारे जीवन पर पड़ेगा....अगर पहले हम इस विचार को गहराई से समझेंगे और फिर अपने दिल में उतारेंगे।

जब यह विचार हमारे मन में बस कर एक आश्चर्य का रूप ले लेगा.... तभी हम कहेंगे कि इन्सान का जीवन सचमुच अमूल्य है।

अपने जिन विचारों को मैं सकारात्मक कहता हूं.... उसकी जड़ में यही आश्चर्य मौजूद है....कि इन्सान की बुद्धि व विचारशक्ति अद्‌भुत है।

मेरी यह विचारधारा कोई अलग नहीं है। इसमें वही बातें शामिल हैं जो हमारे महापुरूषों व परमज्ञानियों ने कही थीं। हां....इतना जरूर है कि उन मूल्यवान प्रवचनों और लेखों को मैने अपनी जिज्ञासावश गहराई से पढ़ा। फिर धीरे–धीरे मेरे चिन्तन द्वारा यह विचार या आश्चर्य मेरे अनुभव का अटूट हिस्सा बन गया। इस तरह सांईस व आध्यात्म से जुड़े कुछ तथ्य मेरे विचारों में शामिल होते गए।

इन विचारों ने हमेशा मुझे मुश्किलों व जीवन में आई निराशा से लड़ने के लिए आत्मबल दिया है। इसीलिए मैंने इन्हें सकारात्मक माना है।

इन्सान की सकारात्मक विचारधारा....

मानव जाति के लिए वरदान....

सही अर्थ में सकारात्मक विचारधारा वही है जो एक समुदाय या एक देश के लिए नहीं बल्कि पूरे विश्व के हित में हो।

भूकम्प व सुनामी जैसे प्राकृतिक आपदाओं से मानव जाति को हमेशा बहुत नुकसान पहुंचा है। भविष्य में भी इसकी सम्भावना बनी हुई है।

वैज्ञानिकों का यह भी कहना है कि इसके अलावा आसमान से भी कोई ऐसी चीज़ धरती से टकरा सकती है जिससे हम इन्सानों को बहुत बड़ा खतरा हो सकता है। हमारे लिए ये तो कुदरती खतरे हैं। हमारे वैज्ञानिक ऐसी मुश्किलों से निपटने के हल निकालते रहते हैं।

इन्सान ने अपने बुद्धि बल से धरती पर ऐसी ऐसी चीजों को बना लिया जो अद्भुत और आश्चर्यजनक है।

इस तरह धरती पर मौजूद दूसरे सभी शक्तिशाली जीवों के मुकाबले हम इन्सान को इस धरती का बेताज बादशाह कह सकते हैं।

लेकिन यही इन्सान बहुत समझदार होते हुए भी एक भूल कर बैठता है। वो यह है कि आपसी मतभेद के कारण युद्ध जैसी स्थिति को पैदा करना। फिर ये घटनाएं बहुत से मासूमों व बेकसूर लोगों की जान ले लेती हैं। जिससे सबको गहरा दुःख होता है।

मेरे मन के कुछ ऐसे ही दर्द के भाव इन शब्दों को यहां लिखने का कारण बने।

लेकिन हमारी सकारात्मक विचारधारा में इसका समाधान मौजूद है। इन विचारों के अनुसार हम इन्सान इस धरती के सबसे भाग्यशाली प्राणी हैं। हम वो हैं जिसने अपनी बुद्धि की ताकत से ब्रह्माण्ड के अद्‌भुत रहस्यों की परतें खोल दीं। इस धरती के हर कोने में फैला हमारे ऐश्वर्य का साम्राज्य हमारी दूर–दृष्टि व समझदारी का प्रमाण है। जब हम इन्सान इतने लाजवाब हैं तो क्या हम अपने विचारों को परिवर्तित करके आपसी मतभेद खत्म नही कर सकते ?

हम ऐसा जरूर करेंगे.... क्योंकि हम जानते हैं कि प्यार की भावना नफरत की भावना से ज्यादा सुन्दर होती है। हम ऐसा कोई काम कभी नहीं करेंगे कि अपनी ही मानव जाति को खतरे में डाल दें।

मानव जाति को भविष्य में युद्ध जैसे किसी भी खतरे से बचाना हम इन्सानों के लिए सबसे बड़ा पुण्य का काम होगा।

यह निश्चित है कि हम सब को एक दिन यहां से जाना है। लेकिन यह फैसला हम इन्सानों को ही करना है कि अपने छोटे से जीवनकाल में अपने इस संसार को हम कितना सुन्दर बना सकते हैं?

आओ हम सब अपने विचारों को ऐसा सकारात्मक मोड़ दें जहां नफरत का कोई निशान ना रहे। ताकि यह धरती स्वर्ग बन जाए और हमारी आने वाली पीढ़ियां इस बात पर गर्व कर सकें कि हमारे पूर्वज़ कितने महान व दूरदृष्टि वाले थे।

शायद यही हम इन्सानों की सबसे बड़ी जीत होगी.... और यह जीत हम अपनी सकारात्मक विचारधारा द्वारा ही हासिल कर सकते हैं। ऐसा होना मानव जाति के लिए एक वरदान से कम नहीं।

जीवन का महत्व

हर विचारधारा जिसे हम सकारात्मक कह सकते हैं.... उसमें जीवन के महत्व को सही तरह समझाया जाता है। जीवन अमूल्य है.... कुछ ऐसा विचार जब हमारे अनुभव में आ जाता है.... तब यह जानकारी बहुत से दूसरे अच्छे विचारों को अपने आप अपनी ओर खींच लेती है।

जीवन के महत्व से जुड़ी कुछ बातें....

जिन्दगी का हमें हमेशा एहसान मानना चाहिए

कुछ ऐसे....

ए प्यारी जिन्दगी,
तुमने जो कुछ मुझे दिया,
वह काफी है।
पर मेरे लिए उसे समझना,
और महसूस करना,
अभी बाकी है।

जीवन में.... जरूरी है थोड़ा अलग सोचना....

ज्यादातर हम सब अपने आफिस या व्यापार या फिर किसी भी तरह के अन्य कार्यो में लगे रहते हैं। हम यह सोच ही नहीं पाते कि हमारी उम्र बीतती जा रही है। जिन्दगी के किसी अन्य पहलू पर सोचने का हमें वक्त ही नही मिलता। इससे पहले कि जिन्दगी हमारा साथ छोड़ने के लिए तैयार हो। हमें अपने विचारों को इतना सशक्त बना लेना चाहिए कि हम हर मुश्किल का सामना धैर्य से कर सकें। हमारे महान गुरूओं और विचारकों ने यही कहा है.कि खुशियां हमारे दिल में ही मौजूद हैं। इसी बात को समझने की जरूरत है। कुछ ऐसे....

आओ देखें, आओ झांकें,
अपने मन के अन्दर,
छिपा पड़ा है वहीं कहीं,
खुशियों का एक समन्दर,
सबक, गर, ये सीख जाओगे,
तो समझो जिन्दगी की,
जंग जीत जाओगे।।

लेकिन हम इन्सान अपने महान लोगों के विचारों को समझने की बजाए अपने ही कामों में लगे रहते हैं। तब कुछ और अलग सोचने के लिए वक्त गुज़र चुका होता है। कुछ ऐसे....

संवारने के लिए जिसे,
पैसा कमाने में,

वक्त की,

बहुत सी घड़ियां गुजर गईं,

वही चहेती जिन्दगी,

एक दिन, अचानक,

हाथों से फिसल गई।।

ऐसी ही बात....यह ....भी....

राहें जिन्दगी में,

जब जीने का ढंग आया,

सामने देखा तो,

रास्ता बहुत कम पाया।।

कुछ ऐसा ही भाव इन शब्दों में भी है....

चलते–चलते आखिरी मुकाम तक,

पहुंचती रहती है जिन्दगी,

हम कहते रहते हैं इसे,

तुझे मिलने की अभी फुर्सत नहीं।।

इन बातों का यह मतलब नहीं है कि हमें अपने जरूरी कार्यों में कम समय देना चाहिए।

जीवन के महत्व को बताती हुई ये सारी बातें मेरी सकारात्मक विचारधारा के ही अंश हैं। ये हमें जीवन के हर पहलू को समझाते हुए हमारा सही मार्गदर्शन करती हैं। थोड़ी बहुत कविता जैसे रूप में लिखी...ये सभी लाइनें कभी गुजरे वक्त में लिखी गई थीं। जो मेरे पन्नों पर दर्ज थीं। मेरे विचार कभी इसी तरह शब्दों में बदल जाते थे।

ये लाइनें शायद ज्यादा अच्छी ना हों लेकिन इनमें जो भाव है वो जरूर अच्छा है... कि हमारा जीवन बहुत महत्वपूर्ण है।

एक विचार

जीवन अद्भुत भी है और सीमित भी। लेकिन इसमें अनुभवों की अपार संभावनाएं मौजूद हैं... जो नकारात्मक भी हो सकती हैं और सकारात्मक भी।

यह हमारी विचारधारा पर निर्भर करता है कि हम नफरत या निराशा जैसी नकारात्मक भावनाओं वाला जीवन गुजारते हैं या फिर प्यार, उल्लास और खुशी जैसी सुन्दर भावनाओं से भरा हुआ जीवन जीते हैं।

मैंने अपने उन्हीं विचारों को सबसे अहं माना है...जिसके द्वारा जीवन में आने वाले सुखों को ज्यादा से ज्यादा गहनता से महसूस किया जा सके... और निराशा व दुःखों को ज्यादा से ज्यादा कम किया जा सके।

लगभग हम सभी इंसान बहुत अधिक दौलत इकट्ठा करने में लगे रहते हैं। इसे हम सफलता का एक मापदण्ड मानते हैं। ये हमारे अपने ही बनाए हुए पैमाने हैं।

बेशक आवश्यक धन का होना जरूरी है। लेकिन मेरे विचार से जीवन में सुन्दर भावनाओं को महसूस करना भी एक अनमोल धन है।

इस पुस्तक को पढ़ने वाले सभी मेरे अपने....

जब हमारे पास कोई खुशी का समय होता है तब हम अपने सगे सम्बन्धियों व जान पहचान वालों को उस खुशी में शामिल होने के लिए बुलाते हैं। इससे हमारी खुशी बढ़ती है।

इसी तरह कुछ तकलीफ के वक्त भी हमारे अपने व जानने वाले दिलासा देने के लिए हमारे पास आते हैं। इससे वह दुःख जैसे बंट कर कुछ हद तक कम हो जाता है।

इस पुस्तक को लिखने के पीछे भी मेरा सिर्फ एक ही मकसद रहा है कि किसी तरह मेरा दुःख कुछ कम हो जाए।

मुझे विश्वास है कि जब भी पाठक इन शब्दों से गुजरेंगे....निसन्देह मेरा दर्द कम होगा। यानि अपनो की तरह उनसे मेरी तकलीफ बंट जायेगी।

एक बात दिल की....

मैने जब पहली बार इस पुस्तक के रफ प्रिंट को देखा... मुझे लगा मैने कई जगह अपने लिखने की बात को दोहराया है। मैने महसूस किया उन शब्दों से ऐसा लगता है जैसे मै कोई लेखक हूं। लेकिन ऐसा बिल्कुल नहीं। मेरे लिए लिखना सिर्फ मेरी एक आदत व समय गुजारने का एक माध्यम है।

फिर भी ऐसा कोई विचार मेरे मन में आता है.... तो उसके लिए मेरे ये शब्द हैं....

न जाने क्यों,
गुमां लिखने का,
इस दिल को है।
पर देख रहा हूं मैं,
पन्नों का भार तो,
वहीं का वहीं है।।

अन्तिम दो शब्द....

मैं ऐसा मानता हूं कि इन्सान की विचारधारा और भावनाएं कभी भी शब्दों के दायरे में नही आ सकतीं। क्योंकि ये परिवर्तनशील भी हैं और असीम भी। हम बीस या तीस मीटर बड़े पत्थर के टुकड़े को एक छोटे बर्तन में नही रख सकते। हम जानते हैं ऐसा होना असम्भव है। वैसे ही इन्सान के अहसास भी शब्दों की पकड़ से परे हैं।

ये सिर्फ महसूस होते हैं.... इनके जुबां नहीं होती।

एक और बात जिसे कहना जरूरी लगा.... ऐसा हो सकता है कि पुस्तक में कुछ बातों को एक से ज्यादा बार लिखा गया हो। पाठकों के हिसाब से कुछ अन्य गलतियां भी हो सकती हैं।

जैसा मैने शुरू में लिखा कि यह मेरा पहला प्रयास है। अनुभवी सलाह से कमियों को दूर किया जा सकता था। लेकिन मुझे लगा शब्दों को अगर शुद्धिकरण की कसौटी पर लाया गया तो उनमें मौजूद भाव अपनी वास्तविकता खो देंगे। इसीलिए मैने निर्णय लिया कि भाव या विचारों ने जैसे भी शब्दों का रूप लिया है। उन्हें वैसा ही रहने दिया जाए।

आखिरी दो लाइनें

ऐसा नहीं कि कुछ सालों पहले की घटनाओं को ही हम अपनी यादें कह सकते हैं। बल्कि बीते हुए कल या महीना पहले की बातें भी जब हमें किसी खुशी या गम का अहसास करवाती हैं... वह भी हमारी यादों की शक्ति का ही एक प्रतीक है।

समुद्र की गहराई बहुत होती है। फिर भी उसकी एक सीमा होती है। लेकिन किसी की यादों के अहसासों की कोई सीमा नहीं होती। ये किसी की जुदाई के भी हो सकते हैं और मिलन के भी। किसी सफलता की खुशी के भी हो सकते हैं या फिर किसी असफलता की निराशा के।

ये जब महसूस होते हैं... हमारे सभी विचारों पर हावी हो जाते हैं। यह जिन्दगी अपने रंग बदलती रहती है। कुछ ऐसे...

कभी यह जाना कि,
खुशियों को ढूंढती,
एक नजर है जिन्दगी,
कभी यह महसूस हुआ कि,
अपनों की यादों का,
इक सफर है जिन्दगी।